欽定四庫全書　子部七

宅經　術數類三 相宅相墓之屬

提要

臣等謹案宅經二卷舊本題曰黃帝撰案漢志形法家有宮宅地形二十卷則相宅之書較相墓為古然隋志有宅吉凶論三卷相宅圖八卷舊唐志有五姓宅經二卷皆不云出黃帝是書蓋依託也考書中稱黃帝二宅經及

淮南子李淳風呂才等宅經二十有九種則作書之時本不偽稱黃帝特方技之流欲神其說詭題黃帝作耳其法分二十四路考尋休咎以八卦之位向乾坎艮震及辰為陽巽離坤兑及戌為陰陽以亥為首巳為尾陰以巳為首亥為尾而主於陰陽相得頗有義理文辭亦皆雅馴宋史藝文志五行類有相宅經一卷疑即此書在術數之中猶最為近古

者矣乾隆四十六年十月恭校上

總纂官臣紀昀臣陸錫熊臣孫士毅

總校官臣陸費墀

宅經卷上

夫宅者乃是陰陽之樞紐人倫之軌模非夫博物明賢而能悟斯道也就此五種其最要者唯有宅法而真秘術凡人所居無不在宅雖只大小不等陰陽有殊縱然客居一室之中亦有善惡大者大說小者小論犯者有災鎮而禍止猶藥病之效也故宅者人之本人以宅為家居若安即家代昌吉若不安即門族

哀微墳墓川岡並同玆說上之軍國次及州郡縣邑下之村坊署栅乃至山居但人所處皆其例焉目見耳聞古制非一

黃帝二宅經地典宅經三元宅經文王宅經孔子宅經宅錦宅撓宅統宅鏡天老宅經劉根宅經玄女宅經司馬天師宅經淮南子宅經王微宅經司最宅經劉晉平宅經張子毫宅經八卦宅經五兆宅經玄悟宅經六十四卦宅經右盤龍宅經李淳風宅經五姓宅經呂才宅

經飛陰亂伏宅經子夏金門宅經刁曇宅經

已上諸經其皆大同小異亦皆自言秘妙互推短長若不遍求即用之不足近來學者多攻五姓八宅黃道白方例皆違犯大經未免災咎所以人犯修動致令造者不居却毀陰陽而無據效豈不痛哉況先賢垂籍誠勗昭彰人自冥蒙日用而不識其象者日月乾坤寒暑雌雄晝夜陰陽等所以包羅萬象舉一千從運變無形而能化物大矣哉陰陽之理也經之陰者生化物情之母

也陽者生化物情之父也作天地之祖為孕育之尊順之則亨逆之則否何異公忠受爵違命變殃者乎今採諸秘驗分為二十四路八卦九宮配女男之位宅陰陽之界考尋休咎並無出前二宅此實養生靈之聖法也

二十四路者隨宅大小中院分四面作二十四路十干十二支乾艮坤巽共為二十四路是也乾將三男震坎艮悉屬於陽位（即從西北乾位之震為陽明矣）坤將三女巽離兌悉屬陰之位（即從東南巽角順之戌為陰明矣）是以陽不獨王以陰為得（陽宅

爲宜修陰方陰不獨王以陽爲得如上說亦如冬以溫暖爲德夏以涼冷爲德男以女爲德女以男爲德之義易訣云陰得陽如暑得涼五姓咸和百事俱昌所以德位高壯藹密即吉重陰重陽則凶陽宅更招東方北方陰宅更招西方南方爲重也是東面爲辰南西面爲戌北之位斜分一條爲陰陽之界凡之陽宅即有陽氣抱陰陰宅即有陰氣抱陽陰陽之宅者即龍也陽宅龍頭在亥尾在巳陰宅龍頭在巳尾在亥其狀在龍者陰龍青陽龍赤各有命坐切忌犯也凡從巽向乾從午向子從坤

向艮從酉向卯從戌向辰移已上移轉及上官所住不計遠近悉入陽也從乾向巽從子向午從艮向坤從卯向酉從辰向戌移已上移轉及上官悉名入陰故福德之方勤依天道天德月德生氣到其位即修令清潔闊厚即一家獲安榮華富貴天之福德者宅之財命也財命既壯何愁不榮故須勤修再入陰入陽是名無氣三度重入陰陽謂之無魂四入謂之無魄魂魄既無即家破逃散子孫絕後也經云連犯不止滅門絕嗣此之謂也若一陰陽往來即合天道自然吉昌之象也設要重往即須遂道往四十五日

七十五日往之无咎仍宜生氣福德之方始吉更犯五鬼絕命刑禍者尤不利訣云行不得度不如復故斯之謂也又云其宅乃窮急翻故宮宜拆刑禍方舍却益福德方也又云翻宅平牆可為銷殃宅之行年不利或口舌疾病等即宜翻刑禍添益福德改移牆壁即消災致其大吉昌也夫辨宅者皆取移來方位不以街北街東為陽不妨是陽之位作陰宅居之即吉街南街西為陰不妨作陽宅居之吉凡移來不勒遠近一里百里千里十步與百步同又此二宅修造唯看天道天德月德生氣到即修之不

避將軍太歲豹尾黃幡黑方及音姓宜忌順陰陽二氣為正此諸神殺及五姓六十甲子皆從二氣而生列在方隅直一年公事故不為災凡諸刑殺在刑禍方者設天德月德到亦須避之若神殺在宅福德方即待天德月德生氣到其位便須修之用功多即善故不避也若不明陰陽之氣到其位便須修之用功多即善故不避也若不明氣中小數故不能制其大綱又云刑禍之方缺復荒福德之方連接長吉也又云刑禍方牆舍位宜狹薄誠之高壯也福德方及牆舍人家宜連接壯實也又云刑禍之方縮復縮猶恐災殃枉相逐福德之方拓復拓子子孫孫受榮樂刑禍之方戒侵拓也不得太縮縮即氣不

足不足則損財祿福德之方宜戒侵拓也亦不得太過太過即減福會至微不消厚福所臨也凡事足太過所侵拓之數過於本宅名曰太過又云宅有五虛令人貧耗五實令人富貴宅大人少一虛宅門大內小二虛牆院不完三虛井竈不處四虛宅地多屋少庭院廣五虛宅小人多一實宅大門小二實牆院完全三實宅小六畜多四實宅水溝東南流五實又云宅乃漸昌勿棄宮堂不衰莫移故爲受陜舍居就廣未必有歡計口半造必得壽考宅不宜廣又云其田雖良嬦鋤乃芳其宅雖善修移乃昌宅統之

宅墓以象榮華之源得利者所作遂心失利者妄生反心墓凶宅吉子孫官祿墓吉宅凶子孫衣食不足墓宅俱吉子孫榮華墓宅俱凶子孫移鄉絶種先靈譴責地禍常併七世亡魂悲憂受苦子孫不立零落他鄉流轉如蓬客死河岸青烏子云其宅得墓二神漸護子孫祿位乃固得地得墓龍驤虎步物業滋川財集倉庫子孫忠孝天神祐助子夏云墓有四奇商角二姓丙壬乙辛宮羽徵三姓甲庚丁癸得地得宮刺史王公朱衣紫綬

世貴名雄得地失宮有始無終先人受苦子孫當凶失地得宮子孫不窮雖無基業衣食過充失地失宮絕嗣無蹤行求衣食客死蒿蓬子夏云人因宅而立宅因人得存人宅相扶感通天地故不可獨信命也

凡修宅次第法

先修刑禍後修福德即吉先修福德後修刑禍即凶陰宅從巳起功順轉陽宅從亥起功順轉刑禍方用一百工福德方用二百工壓之即吉陽宅多修於外陰宅多

修於内或者取子午分陰陽之界悞將甚也此是二氣潛通運迴之數不同八卦九宮分形列象配男女之位也冬至巳夏至亥是陰陽起盛之極處不同聖人於地面上畫八卦列女男之宮宮者宅也巽為長女屬陰乾為天天為陽明矣其有長才深智愍物愛生敬曉斯門其利莫測且大犯即家破逃散小犯則失爵亡官其餘雜犯火光口舌跛蹇偏枯衰殃疾病等萬般皆有豈得輕之哉犯處遠而慢即半年一年二年三年始發犯處近而緊即七十五日四十五日或不出月即發若見此圖者自

然悟會不問愚智福德自修災殃不犯官榮進達財食
豐盈六畜獲安又歸天壽金玉之獻未足為珍利濟之
徒莫大於此可以家藏一本用誡子孫祕而寶之可名
宅鏡又宅書云拆故營新爻卜相伏移南從北陰陽交
分是和陰陽者氣也逐人得變吉凶者化也隨事能興
故天地運轉無窮人畜鬼神變化何準搜神記云精靈
鬼魅皆化為人或有人自相感變為妖怪亦如異性之
木接續而生根苗雖殊異味相雜形礙之物尚隨變通

陰陽虛無豈為常定是知宅非宅氣由移來以變之又云宅以形勢為身體以泉水為血脈以土地為皮肉以草木為毛髮以舍屋為衣服以門戶為冠帶若得如斯是事儼雅乃為上吉三元經云地善即苗茂宅吉即人榮又云人之福者喻如美貌之人宅之吉者如醜陋之子得好衣裳神彩尤添一半若命薄宅惡即如醜人更又衣弊如何堪也故人之居宅大須慎擇又云修來路即無不吉犯抵路未嘗安假如近從東來入此宅住後

更修拓西方名低路卻修拓東方名來路餘方移轉及上官往來不計遠近準此為例凡人婚嫁買莊田六畜致營域上官求利等悉宜向宅福德方往來久久吉慶若為刑禍方往來久久不利又忌龜頭廳在午地向北衝堂名曰凶亭有稍高豎屋亦不利訣云龜頭午必易主亦云妨主諸院有之亦不吉凡宅午巳東巽巳來有高樓大榭皆不利宜去之吉又云凡欲修造動治須避四王神亦名帝車帝輅帝舍假如春三月東方為青帝

木王寅為車卯為輅辰為舍即是正月二月三月不得東戸經曰犯帝車殺父犯帝輅殺母犯帝舍殺子孫夏及秋冬三箇月倣此為忌又云每年有十二月每月有生氣死氣之位但修月生氣之位者福來集月生氣與天道月德合其吉路犯月死氣之位為有凶災

正月生氣在子癸死氣在午丁二月生氣在丑艮死氣在未坤三月生氣在寅甲死氣在申庚四月生氣在卯乙死氣在酉辛五月生氣在辰巽死氣在戌乾六月生氣

在巳丙死氣在亥壬七月生氣在午丁死氣在子癸八月生氣在未坤死氣在丑艮九月生氣在申庚死氣在寅甲十月生氣在酉辛死氣在卯乙十一月生氣在戌乾死氣在辰巽十二月生氣在亥壬死氣在巳丙

宅經卷上

宅經卷下

凡修築垣牆建造宅宇土氣所衝之方人家即有災殃宜依法禳之

正月土氣衝丁未方二月坤三月壬亥四月辛戌五月乾六月寅甲七月癸丑八月艮九月丙巳十月辰乙十一月巽十二月申庚

已下圖無不精詳但細看之必有災咎

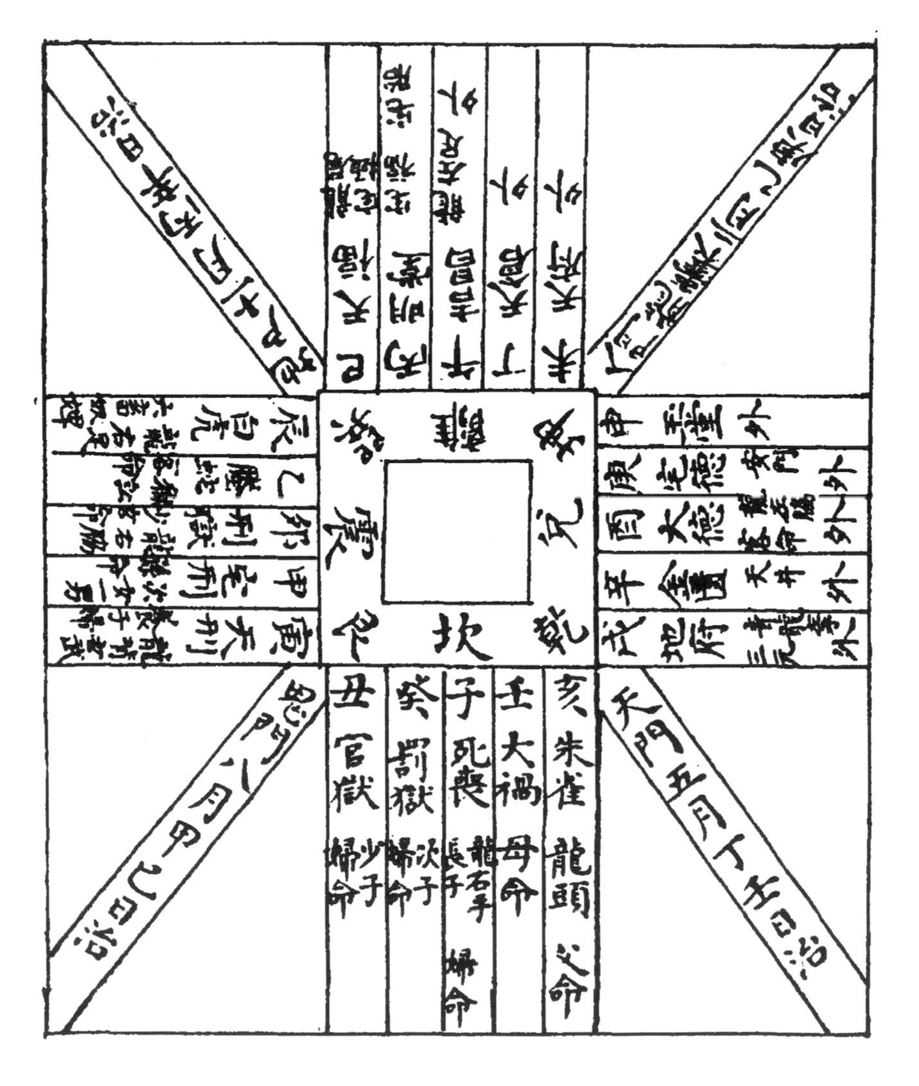
乾
坎
艮
亥
朱雀
龍頭
父命
壬
大禍
母命
龍右手
子
死喪
長子
婦命
癸
罰獄
次子
婦命
丑
官獄
少子
婦命
天門五月丁壬日治

天門陽首宜平穩實不宜絕高壯犯之損家長大病頭項等災五月丁壬日修吉北方不用壬子丁巳日亥為朱雀龍頭父命座犯者害命坐人三月丁壬日修壬為大禍母命犯之害命坐人有飛災口舌修巳亥同子為死喪龍右手長子婦命座犯之害命坐人失魂傷目水災口舌修巳壬同癸為罰獄勾陳次子婦命座犯之害命坐人口舌鬬訟等災七月丁壬日修三月亦通宮羽姓不宜三月七月即吉日丑為官獄少子婦命座犯之鬼魅盜賊火光怪異等災修巳癸同鬼門宅壅氣缺薄空荒吉犯之偏枯

淋腫等災八月甲己日修吉東方不用甲子己巳日寅為天刑龍背玄武庶養子婦長女命座犯之傷胎繫獄被盜亡敗等災六月甲己日修角姓六月凶十一月吉甲為宅刑次女孫男等命座犯之害命坐人家長病頭項諸傷折等災修與寅同卯龍右脇刑獄少女孫命座犯之害命坐人火光氣滿刑傷失魂修與寅同乙螣蛇訟獄客座命犯之害命坐人妖怪死喪口舌十月巳日修吉惟宜屋低小仍不得重辰為白虎龍右足主訟獄奴婢六畜命座犯之驚傷跛蹇筋急等災亦主驚恐修與乙同風門宜平

缺名福首背枯向榮二宅五姓八宅並不宜高壯壅塞

亦陽極陰首十一月丙辛日修吉南方不用丙子至辛巳日巳天福宅屋亦名

宅極經曰欲得職治宅極宜壯實修改吉九月丙辛修唯用功多良

丙明堂宅福安門牛倉等舍經云治明堂加官益祿大

吉祥合家快活不可當修巳巳同午吉昌之地龍左足經云

治吉昌奴婢成行六畜良宜平實忌高及龜頭廳修與巳同

丁天倉經云財耗亡治天倉宜倉庫六畜壯厚高拓吉

正月丙辛日修用功多大吉未天府高樓大舍牛羊奴婢居之大孳

息倉厠利（修與丁同）人門龍腸宜置牛馬廄其位欲開拓壟厚亦名福囊重而兼實大吉（二月乙庚日修）申玉堂置牛馬屋主寶貝金玉之事壯實開拓吉經曰治玉堂財錢横來六畜肥强庚宅德安門宜置車屋雞栖碓磑吉甚宜開拓連接壯闊淨潔吉（修與申同）酉大德龍左脇客舍吉經曰治大德富貴資財成萬億亦名宅德宜宅主（修與申同）辛金匱天井宜置門及高樓大屋經曰治金匱大富貴宜財百事吉（四月乙庚日修大吉）地府青龍左手主三元宜子孫恒令

清淨吉經曰青龍壯高富貴雄豪外巽之位宜作園池竹簟設有舍屋宜平而薄外天德及玉堂之位宜開拓侵修令壯實大吉經曰福德之方拓復拓子孫孫受榮樂唯不得高樓重舍外天倉與天府之位不厭高壯樓舍安門倉庫牛舍及奴婢車屋並大吉南方宜侵拓吉外龍腹之位與內院並同安牛馬牢厰亦名福囊宜廣厚實吉外坤宜置馬廄吉安重滯之物及高樓等並大吉外玉堂之院宜作崇堂及郎君孫幼等院吉客廳即有公

客來若高壯侵拓及有大樹重屋等招金玉寶帛主印綬喜外大德宅位宜開拓勤修泥令新淨吉及作音樂飲會之事吉宜子孫婦女等院出貴人增財富貴德望遐振外金匱青龍兩位宜作庫藏倉窖吉高樓大舍宜財帛又宜子孫出豪貴婚連帝戚常令清淨連接叢林花木鬱密

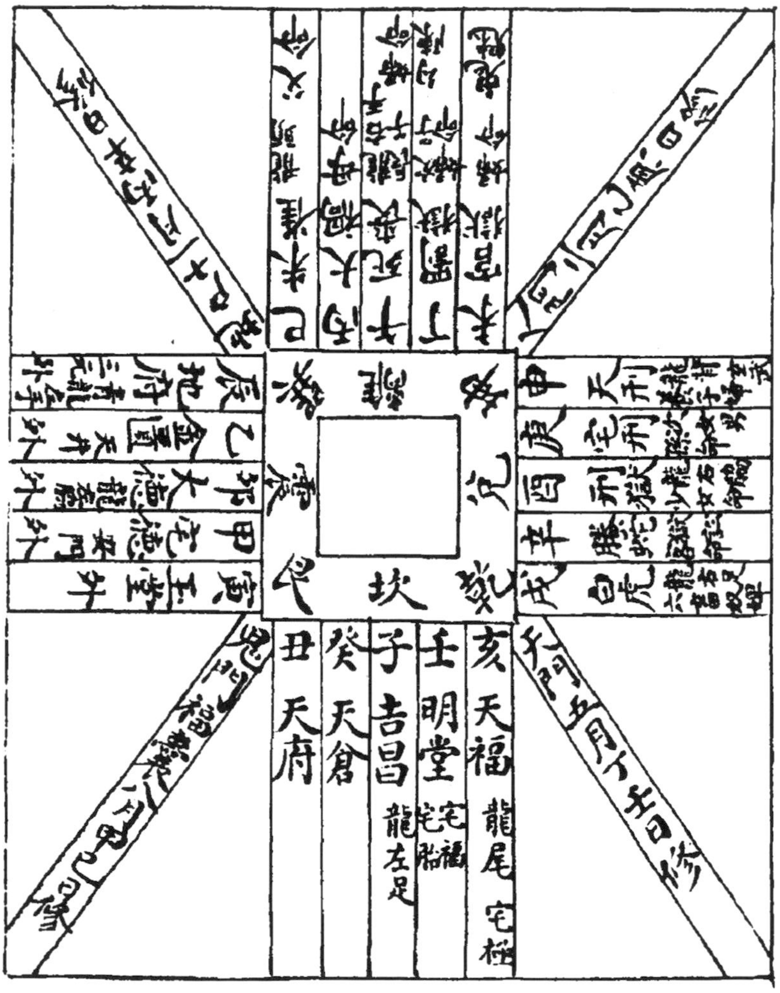

坤　兌　乾　坎　艮　震　巽　離

申　天刑

庚　宅刑

酉　刑獄

辛

戌　白虎

亥　天福　龍尾　宅極

壬　明堂　宅福　龍左足

子　吉昌

癸　天倉

丑　天府

寅　玉堂外

甲　宅德　安門外

卯　大德　龍脅外

乙　金匱　天井外

辰　地府　青龍手外

乾天門陰極陽首亦名背枯向榮其位舍屋連接長遠高壯闊實吉（五月丁壬日修吉北方不用壬子丁巳日）亥為天福龍尾宜置猪欄亦名宅極經云欲得職治宅極宜開拓極（亥東三月丁壬日修吉宮羽姓即七月吉）壬宅福明堂宜置高樓大舍常令清淨及集學經史亦名印綬宮宜財祿（大吉修與亥同）子吉昌龍左足宜置牛屋經云奴婢成行六畜良平實吉（修與亥同）癸天倉立門戶客舍箄廁吉經云財耗亡治天倉安六畜開拓高厚（七月丁壬日修吉）丑天府高樓大舍牛羊奴婢居之大孳

息倉廁並吉修與癸同艮鬼門龍腹福囊宜厚實重吉缺薄即貧窮八月甲巳日修吉求方不用甲子日寅玉堂宜置車牛舍主寶貝金玉之事宜開拓經曰治玉堂錢財橫至六畜肥强大吉六月甲巳日修吉甲宅得安門宜置碓磑開拓連接壯觀吉清淨災殃自消修巳寅同卯大德龍脇客舍經曰治大德富貴資財成萬億亦名宅主主有德望修與寅同乙金匱天井宜置高樓大舍常令清淨勤修泥尤增喜慶卯巳南十月修辰地府青龍左手三元宜子孫當宜清淨經曰青龍壯高

富貴雄豪修乙乙同巽風宜平穩不宜壅塞亦名陽極陰前

背榮向枯宜空缺通疎大吉十一月丙辛日修吉南方不用丙子吉巳朱

雀龍頭父命座不宜置井犯害命坐人口舌飛禍吐血

顛狂虵畜作怪巳酉九月丙辛日修吉至午地徵音並忌正三四月吉丙大禍母

命不宜置門犯之害命坐人飛禍口舌修與巳同午為死喪

長子婦命座犯之害命坐人失魂傷目心痛火光口舌

龍右手筋急修與巳同丁罰獄勾陳次子婦命犯之坐人口

舌鬬訟瘡病等災午日酉用正月丙辛日修吉未地五姓並吉未為官獄少

子婦命座犯之害命坐人鬼魅火瘡霹靂盜賊刀兵流血六畜傷死家破逃散修與丁同坤人門女命座不宜置馬廄犯之偏枯淋腫等此地宜荒缺低薄吉二月乙庚日修申天刑龍背庶子婦長女命座犯之失魂病脇刑傷牢獄氣滿火怪申北十二月乙庚修至酉吉商姓十二月凶四月吉庚宅刑次女長孫命座不宜置門犯之害命坐人病右脇口舌傷殘損墜修與甲同酉刑獄龍右脇少女孫命座犯者害命坐人失魂刑獄氣滿火怪修與申同辛為螣蛇訟獄客命犯之害命坐人

口舌妖怪死喪災起酉北至戌四月乙庚日修戌白虎獄訟龍右足
奴婢六畜命座犯之足踸跛蹇偏枯筋急修與辛同從乾順行至戌
一周二十四路外乾院與同院修造開拓令壯實高岡陵大樹
並吉宜家長延壽子孫榮祿不絶光映門族乾地廣闊
外亥天福與宅極之鄉宜置大舍位次重疊深遠濃厚
吉與宅福明堂相連接壯實子孫聰明昌盛科名印綬
大富貴外天倉宜高樓重舍倉廩庫藏奴婢六畜等舍
大孳息宜財帛五穀其位高潔開拓吉外天府宜闊壯

子孫婦女居之大吉亦名富貴飽溢之地遷職喜萬般
悉有矣絕上外龍腹福囊之位宜壅實如山吉遠近連
接大樹長岡不厭開拓吉若低缺無屋舍即貧薄不安
外玉堂宜子婦即富貴榮華子孫興達其位雄壯即官
職昇騰位至臺省寶帛金玉不少若陷缺荒殘即受貧
薄流移他地外宅德宜作學習道藝功巧立成亦得名
聞千里四方來慕亦為師統子孫居之有信慷才抱義
壯勇無雙外天德金匱青龍此三神並宜濃厚實大舍

高樓或有客廳卿相遊宴過往一家富貴豪盛須賴三神尤宜開拓若冷薄荒缺敗陷即貧窮也外青龍不厭清潔焚香設座延迓賓朋高道奇人自然而至安井及水瀆甚吉

宅經卷下

仿古版文淵閣四庫全書

子部・宅經（1 冊）

編纂者◆（清）紀昀　永瑢等

董事長◆王學哲

副董事長◆施嘉明

總編輯◆方鵬程

編印者◆本館四庫籌備小組

承製者◆辰皓國際出版製作有限公司

出版發行：臺灣商務印書館股份有限公司

台北市重慶南路一段三十七號

局版北市業字第 993 號

電話：(02)2371-3712

讀者服務專線：0800056196

郵撥：0000165-1

網路書店：www.cptw.com.tw

E-mail：ecptw@cptw.com.tw

網址：www.cptw.com.tw

初版一刷：1986 年 5 月

二版一刷：2010 年 10 月

定價：新台幣 900 元

國立故宮博物院授權監製

臺灣商務印書館 POD 數位製作（2010.10）A7620060

ISBN 978-957-05-2513-7（全套：線裝）